Guadalupe Rodríguez

editorial amanuta
COLECCIÓN REMOLINO

JUGUETES
ARTICULADOS

1 Desarma una caja de cartón.

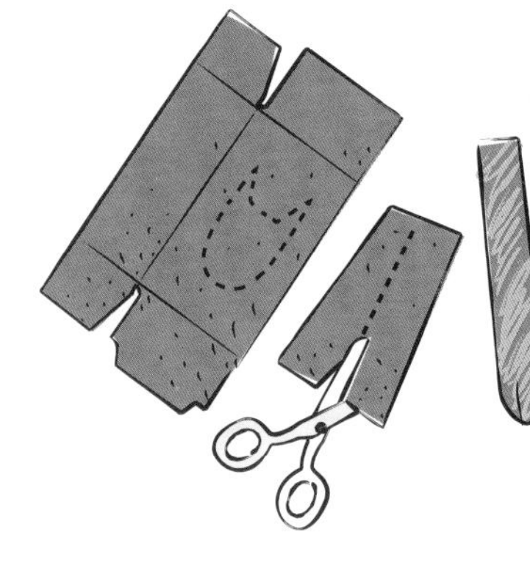

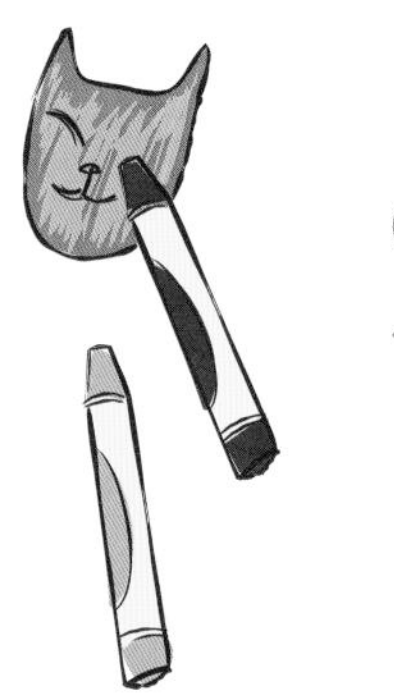

2 Aprovecha los pliegues de la caja para cortar las partes de un animal o personaje. Luego píntalas.

3 Arma tu personaje o animal usando broches para unir las partes.

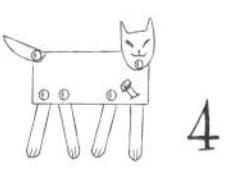

PAISAJE

CON ANIMAL

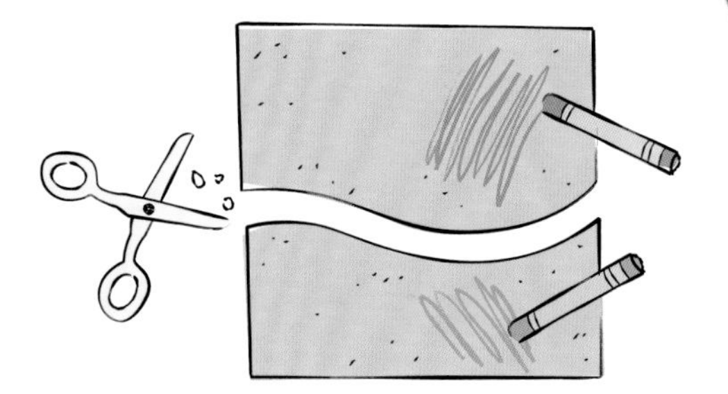

1 En un cartón dibuja una línea curva y luego corta. Pinta una parte del color del cielo y la otra como pasto o mar.

2 Une ambas partes pegando con cola fría solo los bordes de los lados (el centro de éstas debe quedar separado).

3

En otro pedazo de cartón dibuja y pinta un animal, y luego recórtalo. Corta una tira de cartón de 30 x 3 centímetros. Pega un extremo de la tira a la parte de atrás del animal y espera que seque bien.

4

Luego pasa la tira de cartón por dentro del paisaje y fíjala con un broche. Haz caminar a tu animalito por el paisaje moviendo la tira de cartón hacia los lados.

MÁSCARA
PLANA

1 En un cartón marca un círculo del tamaño de tu cara. Si haces un animal marca orejas sobre el cartón. Recorta la figura y píntale bigotes, nariz, orejas.

2 Si haces una persona dibújale ojos y boca. Recorta y luego pinta pestañas, nariz, cachetes.

3 Por el reverso pégale un palo de helado y déjalo secar.

MÁSCARA
CON VOLUMEN

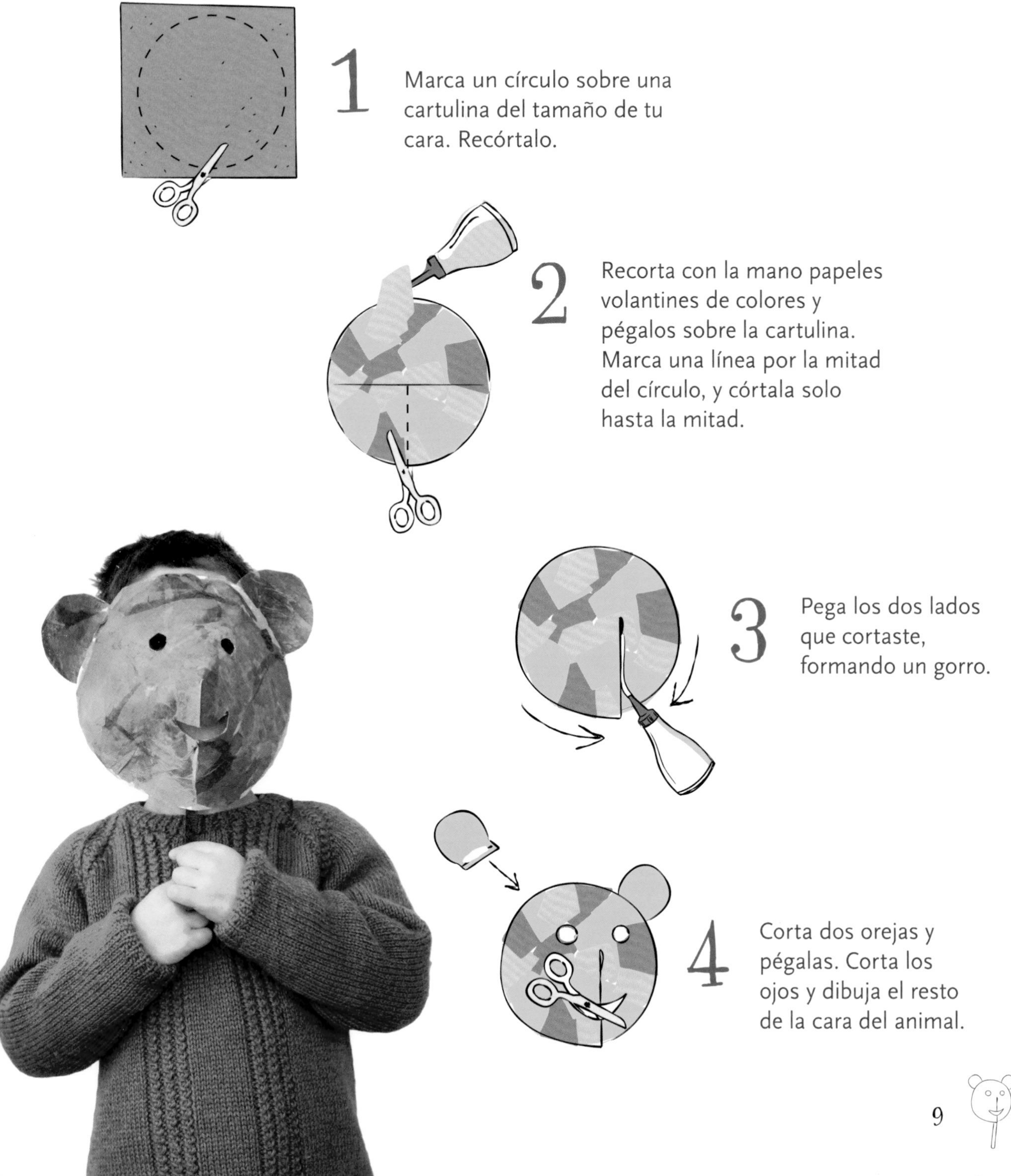

1 Marca un círculo sobre una cartulina del tamaño de tu cara. Recórtalo.

2 Recorta con la mano papeles volantines de colores y pégalos sobre la cartulina. Marca una línea por la mitad del círculo, y córtala solo hasta la mitad.

3 Pega los dos lados que cortaste, formando un gorro.

4 Corta dos orejas y pégalas. Corta los ojos y dibuja el resto de la cara del animal.

ANIMALES

CON PERROS DE ROPA

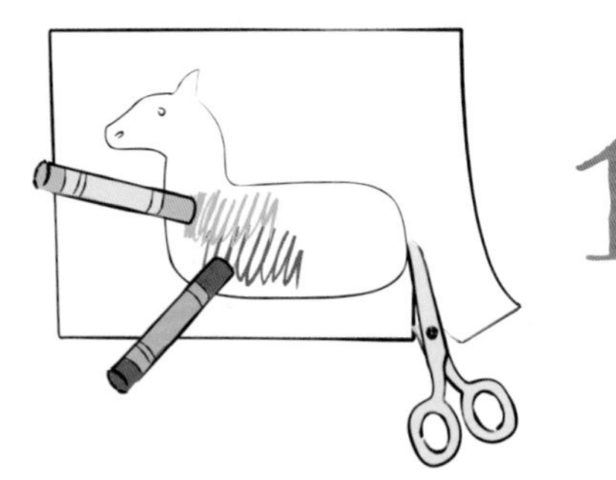

1 Dibuja el cuerpo de un animal en un cartón, píntalo y recórtalo.

2 Pega un cordel o lana para la cola. Luego pega pedazos de género para las orejas.

3 Toma dos perros de ropa, píntalos del color de las patas de tu animal y pégalos con cola fría al cuerpo. Espera que seque bien.

BICHITOS

CON PERROS DE ROPA

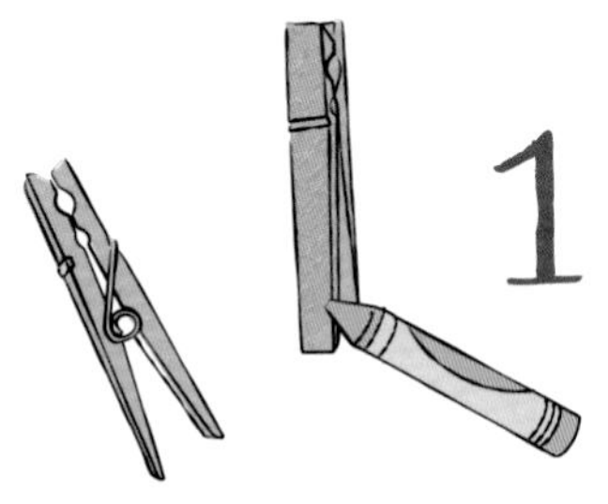

1 Pinta con lápices de cera o pasteles un perro de ropa.

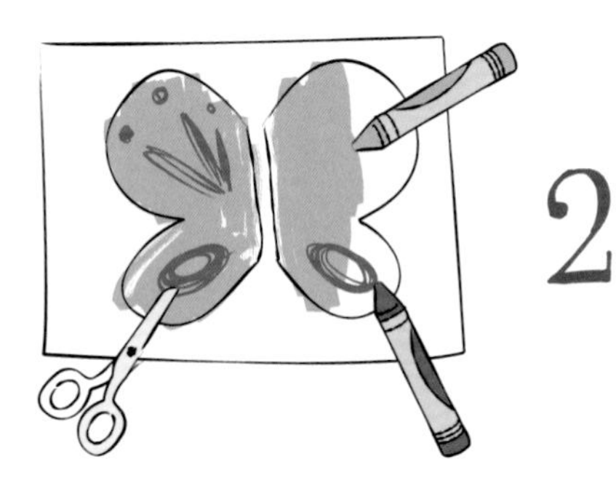

2 En un papel dibuja, pinta y recorta las alas de tu bichito.

3 Luego, pégalas sobre el perro de ropa. Corta y pega dos o más ramas como antenas y/o patas para tu bicho. Espera que seque bien.

TEATRO
Y TÍTERES

1 Para crear los títeres haz una pelota de papel de diario forrada en género. Inserta un palito o una rama y luego amarra el género con un cordel. Usa un pedazo de género para vestir al títere y amárralo en el cuello. Pinta la cara y pégale lana para el pelo.

2 Abre una caja grande y recorta la silueta del teatro. Luego, recorta un rectángulo en el centro para obtener una ventana. Pinta el teatro.

3 Para las cortinas corta dos rectángulos de género. Dobla la parte superior de cada género y pídele a un adulto que te ayude a coser el doblez para que pueda pasar un cordel. Pasa un solo cordel por ambas cortinas.

4 Haz un agujero a cada lado de la ventana del teatro. Mete cada extremo del cordel en uno de los agujeros y haz un nudo para que no se salga.

Abre las cortinas y… ¡todo listo para la función del teatro!

MUÑECOS
CON CONO DE CARTÓN

1 Forra un cono de papel higiénico pegándole con cola fría pedazos de papel o género hasta cubrirlo completamente.

2 Para la cabeza del muñeco haz una pelota con papel de diario del diámetro del cono y fórrala con cinta adhesiva.

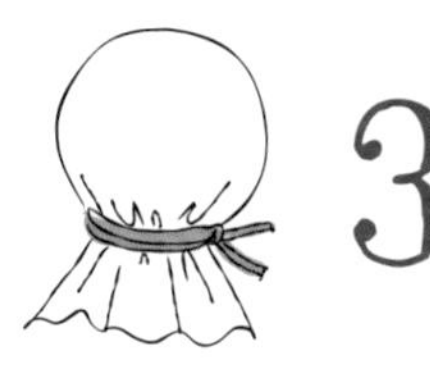

3 Envuelve la pelota con un pedazo de género y fíjala amarrándole un cordel.

4 Con papel, calcetín o género hazle un gorro a tu muñeco. Fíjalo con cola fría.

5 Dibuja ojos, nariz y boca a tu muñeco. Pega la cabeza a un extremo del cono.

ANIMALES

EN PAPEL MACHÉ

1 Arruga bien un pedazo de papel de diario y fórralo con cinta adhesiva dándole la forma del cuerpo y cabeza de un animal.

2 Pégale a tu animal pedazos de papel volantín con cola fría y un poco de agua. Déjalo durante la noche o hasta que seque completamente.

3 Con la tijera haz dos ó cuatro agujeros para las patas, según el animal que estés haciendo. Pega ramas de árbol con cola fría dentro de los agujeros.

4 Recorta y pega las orejas, cachos u otros detalles. Pinta los ojos.

PIZARRÓN
MÁGICO

1 Toma una cartulina blanca y píntala completamente, usando lápices de cera de colores distintos.

2 Pinta con tinta china o betún de zapato encima de toda la superficie que coloreaste. Espera que seque completamente.

3 Raspa la pintura negra con una tijera de niño o un clip y dibuja la figura que quieras... ¡Aparecerán los colores!

PÁJAROS

EN PAPEL

1 Marca con un plato un círculo en papel diamante o cartulina. Córtalo y luego dobla el círculo por la mitad.

2 Dibuja y corta en papel volantín plumas y pico. Luego pégalos y dibuja un ojo a cada lado del papel o cartulina. Elige dos ramitas de árbol para las patas y pégalas con cola fría.

3 Atraviesa tu pajarito con una aguja e hilo para colgarlo y... ¡estará listo para salir volando!

NIÑOS Y NIÑAS

DE LA MANO

1 Recorta un rectángulo muy largo de cartulina. Dóblalo en pliegues, como un acordeón. Todos los pliegues deben ser del mismo tamaño.

2 Dibuja la figura de un niño o niña en el primer pliegue. Es importante que los brazos y piernas lleguen hasta los bordes del papel. Corta el contorno de la figura a través de todos los pliegues.

3 Abre el papel y pinta cada figura. Pega un palo de helado en los pies de los niños que están en los extremos.

FLORES
DE PAPEL

1 Toma un papel volantín y recorta círculos de distintos tamaños. Puedes hacer lo mismo en varios colores diferentes.

2 Junta varios círculos de distintos tamaños, uno sobre otro, y pégalos por el centro. Espera que seque bien.

3 Haz un agujero justo debajo de la flor que acabas de formar. Toma una ramita seca de árbol, ponle cola fría e insértala en el agujero. ¡Puedes hacer tantas flores como quieras!

POMPÓN

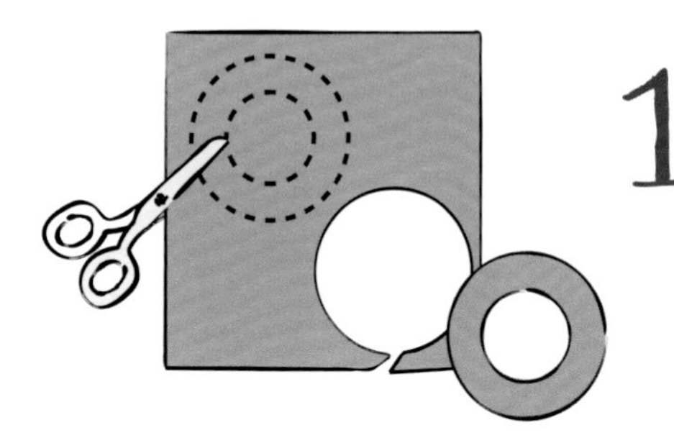

1 Dibuja en un cartón dos círculos del mismo tamaño y recórtalos. Luego, dibuja otro círculo más pequeño dentro de cada círculo grande y recórtalos.

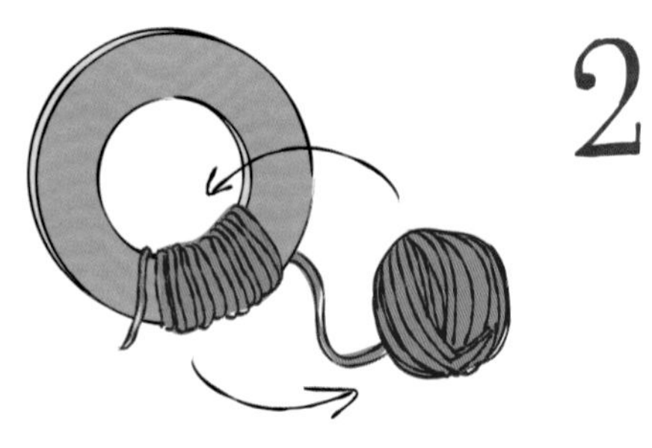

2 Toma los dos círculos grandes enfrentados y comienza a enrollar lana alrededor. Ésta debe pasar por dentro del agujero. Puedes usar varios colores de lana en un mismo pompón.

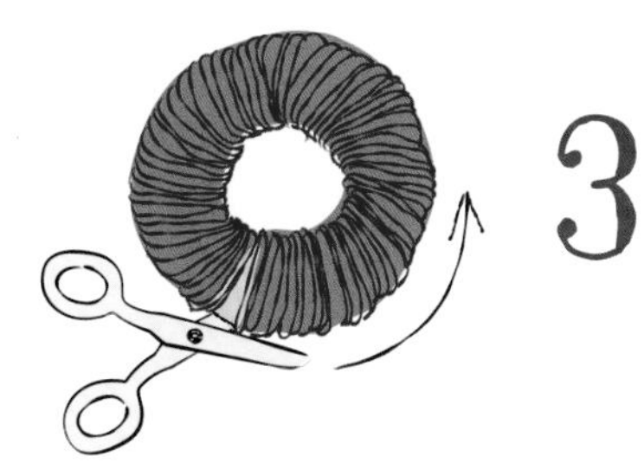

3 Cuando esté todo el anillo forrado de lana, pon la punta de la tijera entre los dos cartones y comienza a cortar la lana por el borde, alrededor de todo el círculo.

4 Toma una tira de lana y amárrala por el centro de los dos cartones, de un lado a otro.

5 Saca los cartones y... ¡ya tienes tu pompón! Para unir dos pompones se amarra una lana al centro de uno y luego con la misma lana se amarra el centro del otro pompón. Puedes armar el animal o figura que quieras.

PIÑATA

1 Infla un globo. Haz una mezcla de cola fría con agua y úsala para pegar pedazos de papel de diario sobre el globo.

2 Corta y pega varios pedazos de papel volantín sobre el papel de diario y déjalo secar durante la noche.

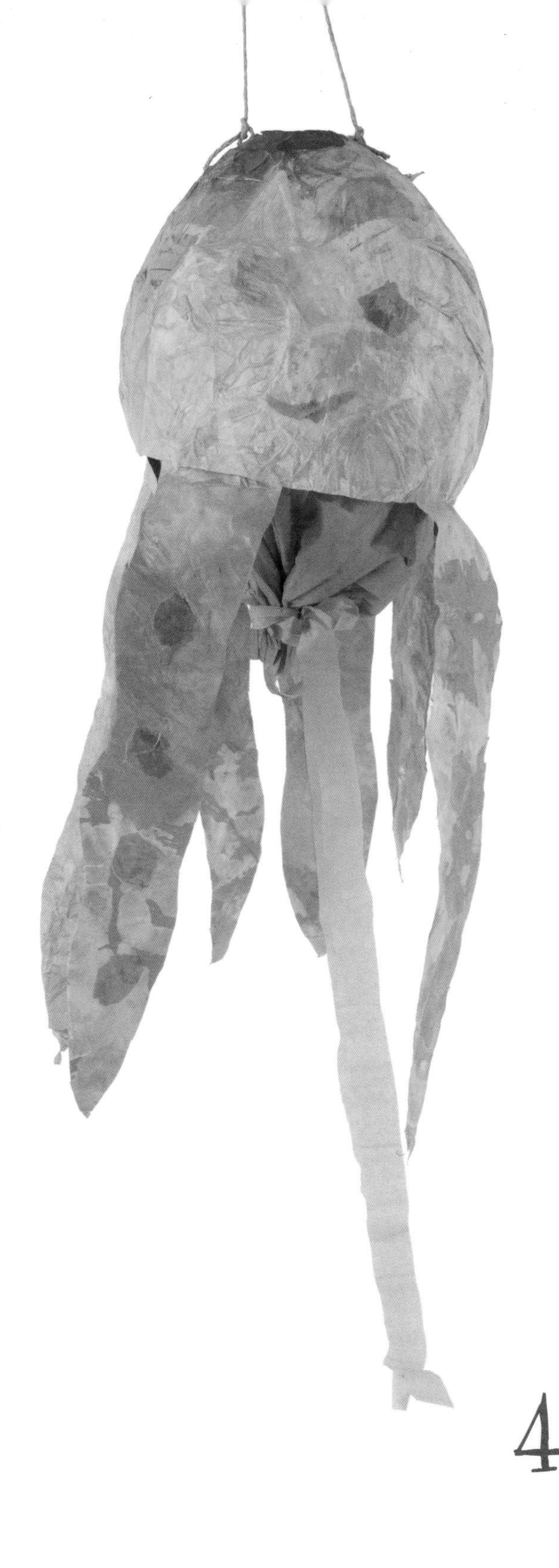

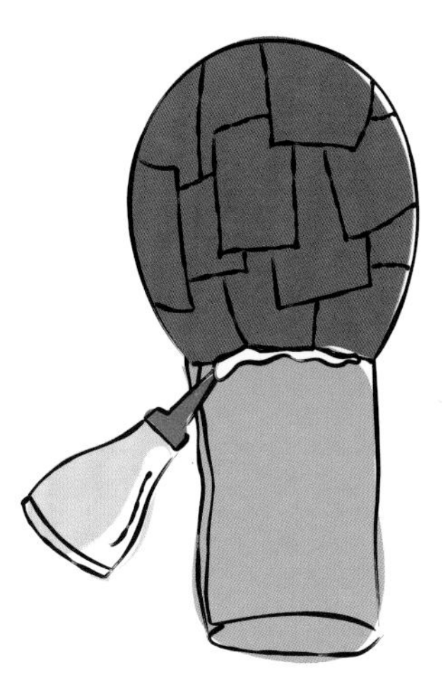

3 Revienta el globo. Corta un pedazo grande de papel crepé y pégalo por dentro de la piñata.

4 Pega un cordel en la parte superior de la piñata para poder colgarla. Llena una bolsa de papel con dulces y ponla dentro de la piñata. Amarra el papel crepé para cerrar la piñata.

PEZ
VOLADOR

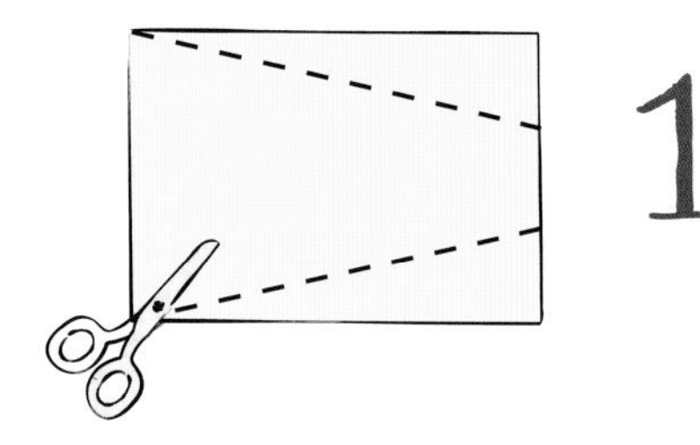

1 En un papel mantequilla, craft u otro de aproximadamente 70 x 50 centímetros marca dos líneas como muestra la figura. Recorta.

2 Pinta ojos y cuerpo. Dobla y pega los bordes.

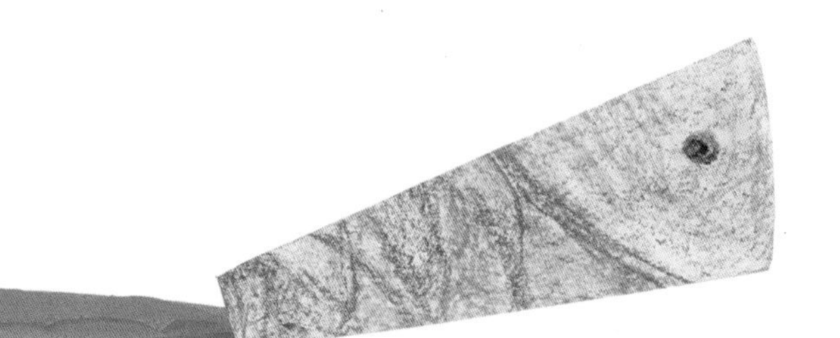

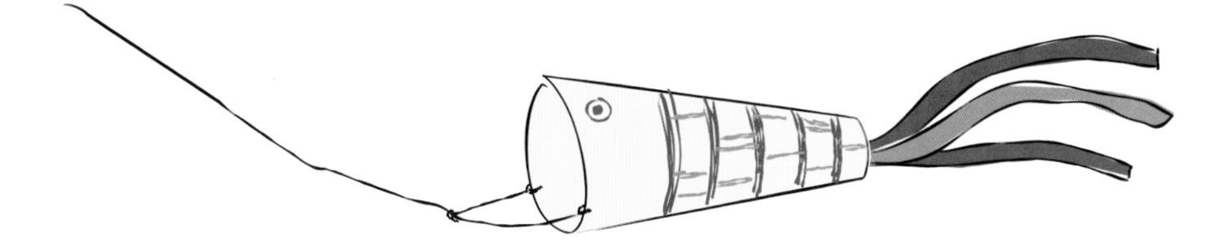

3 Amarra dos cordeles en los extremos de la boca. Haz un nudo y deja un cordel largo para tirar. Pega tiras de papel en la cola.

MUÑECOS
DE BOTELLA DE PLÁSTICO

1 Haz una pelota con papel de diario para la cabeza del muñeco. Fórrala con género y amárrala con un cordel.

2 Inserta la pelota forrada dentro de la boca de la botella de plástico. Pégala con cola fría.

3 Forra la botella con géneros como si fuera la ropa de tu muñeco. Luego dibújale la cara.

ANTIFAZ

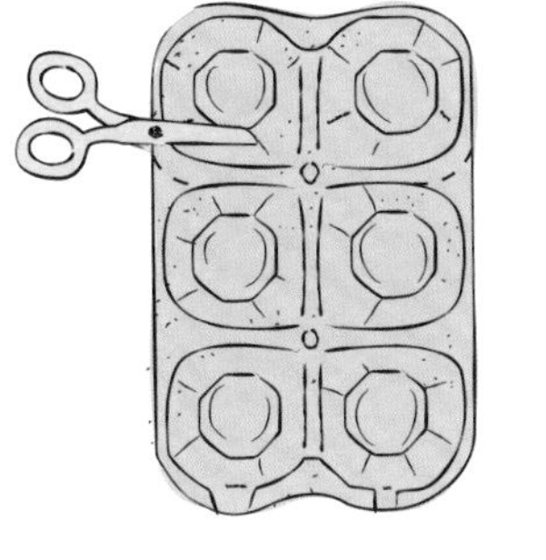

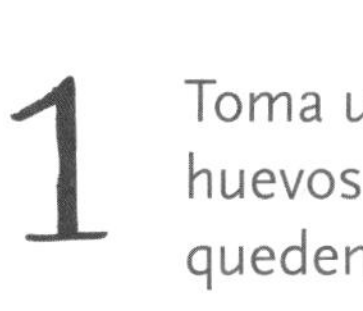

1 Toma una caja de cartón de huevos y córtala para que te queden dos cavidades.

2 Recorta en el centro de cada cavidad un ojo. Luego pega plumas en la parte superior.

3 Pega por abajo un palo de helado o ramita de árbol.

MUÑECOS
DE LANA

1 Corta dos tiras de lana de distintos colores de 120 centímetros de largo. Únelas con un nudo y ayudándote de la manilla de una puerta, tuércelas.

2 Dobla por la mitad tus lanas y se torcerán en el otro sentido. Haz un nudo en cada extremo. Así tendrás tu primer cordel listo. Repite el proceso dos veces con otras tiras de lana, hasta obtener tres cordeles.

3 En un cartón, dibuja la cara de tu muñeco. Luego píntala y recórtala. Toma un perro de ropa y pega la cara en un extremo.

4 Pon la parte superior del perro de ropa en la mitad de uno de los cordeles. Enrolla desde el centro hasta dejar unos centímetros de cordel en cada extremo, para los brazos. Fija con un nudo.

5 Ubica el segundo cordel pegado al otro. Enrolla todo el cordel desde la mitad hacia los extremos. Haz un nudo para fijar este cordel. Finalmente enrolla el tercer cordel pegado al anterior. Enrolla desde la mitad del cordel hacia los extremos. Deja unos centímetros para las piernas. Fíjalo con un nudo.

RATONERA

1 En una caja de cartón recorta un semicírculo en una de sus caras. Fórrala completamente con pedazos de papel de diario.

2 Dibuja dos orejas en una cartulina o papel gris y pégalas en la caja. Cuando todo esté seco, pinta ojos y bigotes para hacer la cara del ratón. Pega un cordel para la cola.

RATONES

1 Corta un cono de papel higiénico a lo largo y pégalo, dejándolo como un embudo.

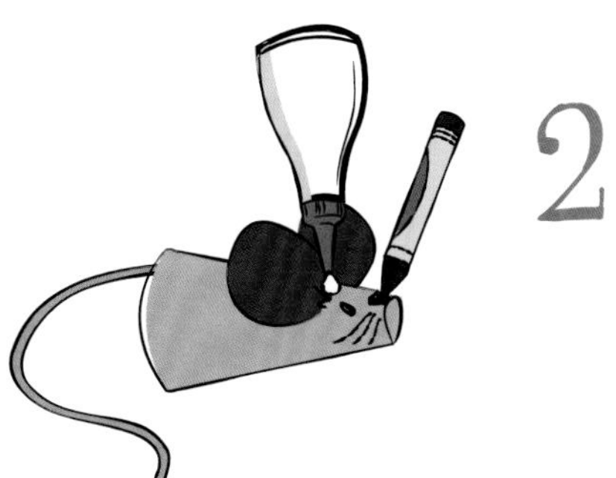

2 Recorta dos orejas de pañolenci u otro género y pégalas. Pinta ojos, nariz y bigotes. Corta un cordel para la cola y pégalo.

3 Toma un carrete de hilo y pásale un alambre o clip estirado por el centro. Ponlo debajo del cuerpo del ratón y entierra ambas puntas del alambre al cartón para fijarlo. Haz un agujero en el cono e inserta un cordel. Anúdalo para hacer andar tu ratón.

BARCO GIGANTE

DE PAPEL

1

Pega 12 pliegos de papel de diario por los bordes. Luego pega 4 medios pliegos formando un cuadrado gigante. Dóblalo en cuatro.

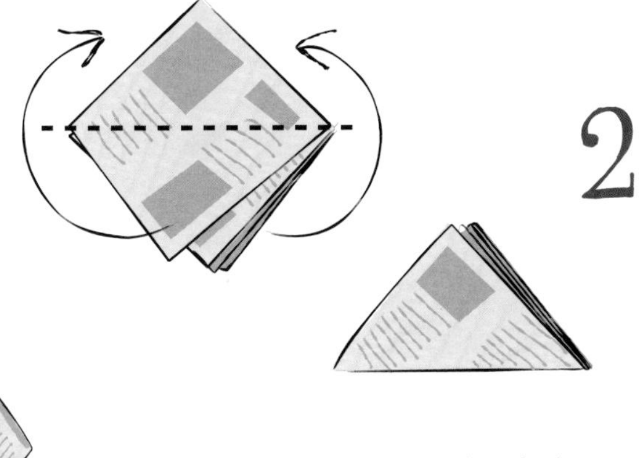

2 Dobla una esquina hacia arriba y pliega el papel por el centro. Luego dobla las otras tres esquinas juntas y dóblalas hacia el lado opuesto. Te quedará un triángulo.

3 Abre la base del triángulo juntando las dos esquinas y aplastando el papel para que te quede un rombo. Abre las esquinas del rombo y se irá formando el barco.

ORGANILLERO

1 Forra una caja de cartón pegando pedazos de papel de diario con cola fría. Espera que seque bien y luego píntala.

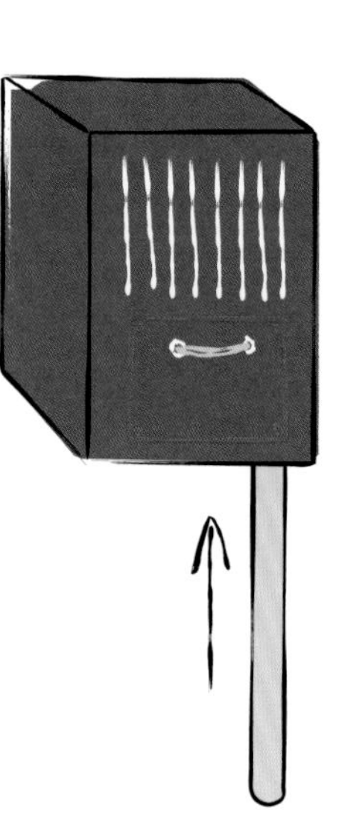

2 Dibuja las ranuras del organillo sobre lo pintado. A continuación, introduce un palo de escoba por debajo de la caja y pégalo para que quede firme.

3 Haz una manilla con un clip o alambre, fórrala con cinta adhesiva y píntala. Déjala secar y pégala con cinta adhesiva en el organillo.

4 Corta un cono de papel absorbente a lo largo y vuelve a pegarlo, dejándolo como un embudo. Luego, pega la base del cono a la parte superior del organillo, tal como aparece en la figura.

5 Dibuja banderas chilenas y píntalas. Recorta tus banderitas y pega un palito de brocheta en cada bandera. Entierra las banderitas al cono de tu organillo.

A tu organillo debes agregarle las pelotitas, el loro y los remolinos que aparecen en la página 40, 41 y 42.

LORITO
EN SU JAULA

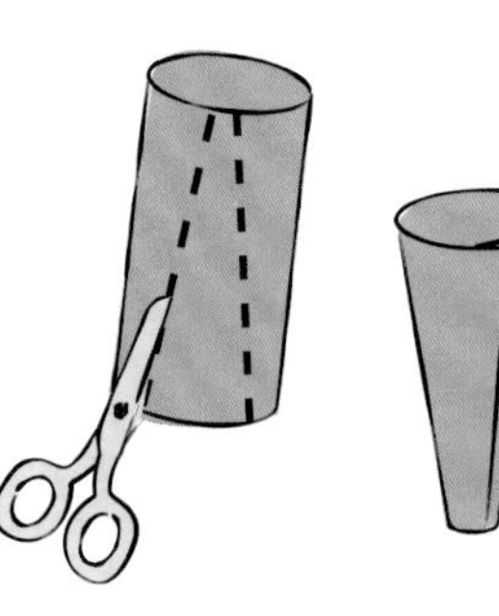

1 Corta un cono de papel higiénico a lo largo y pégalo, dejándolo como un embudo.

2 Dibuja las patas y cola del lorito en la base del cono y luego recórtalas.

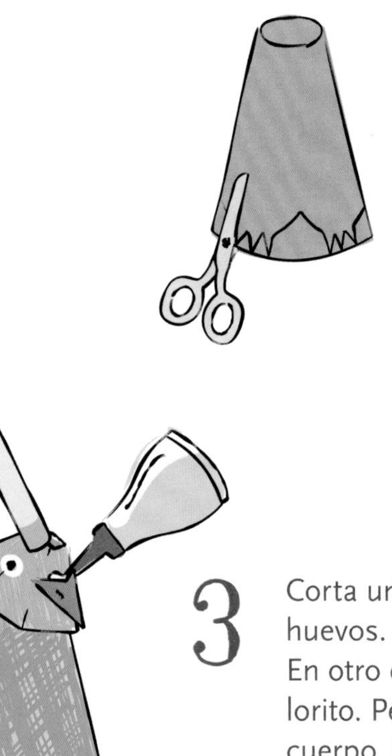

3 Corta una de las cavidades de una caja de huevos. Pégala como cabeza del lorito. En otro cartón dibuja y corta el pico del lorito. Pégalo al resto de la figura. Pinta el cuerpo, la cara y los ojos del loro.

4 Toma una caja de cartón más grande que el lorito y píntala.

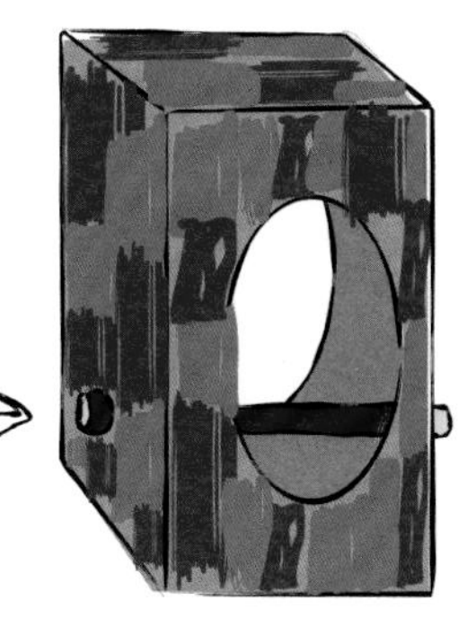

5 Recorta dos ventanas ovaladas en dos lados opuestos de la caja. Atraviesa un palo por las otras dos caras. Mete tu lorito en su jaula.

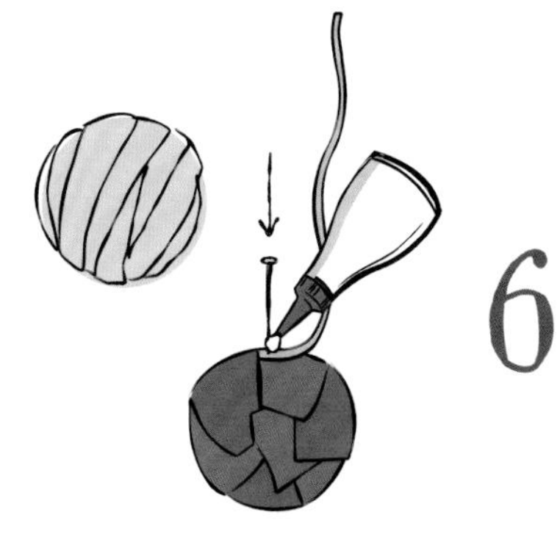

6 Haz una pelota de papel de diario arrugado y fórrala con cinta adhesiva. Pégale papel volantín de colores. En la pelota haz un agujero con un alfiler e introduce el elástico con cola fría. Pega las pelotas que quieras en el embudo del organillo.

REMOLINO

1 Corta un cuadrado de cartulina y píntalo por ambos lados. Dibuja dos líneas diagonales que vayan de una esquina del cuadrado a su opuesta. Corta por las diagonales desde cada esquina hasta 2 centímetros del centro.

2 Dobla cuatro de las ocho puntas hacia el centro, una por medio, pegándolas una sobre otra.

3 Toma un palo y un clip. Abre el clip y enróllalo en el palo. Deja estirado el resto del clip.

4 Toma una pajita y corta dos pedazos de 1 centímetro cada uno. Pasa uno de los pedazos por el clip, pon el remolino y luego mete el otro pedazo de pajita. Dobla la punta del clip.

TÍTERE
QUE SE ESCONDE

1 Haz una pelota de diario y envuélvela con un pedazo de género. Insértale un palo y amárrala con un cordel. Dibújale una cara a tu pelota y pégale un gorro de género.

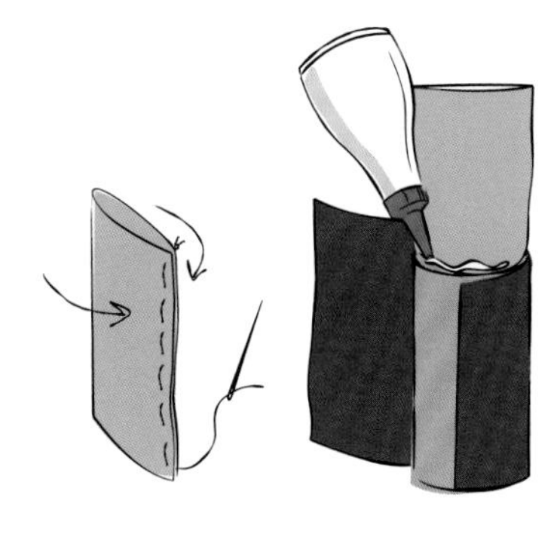

2 Forra un cono de papel higiénico con género. Dobla otro pedazo rectangular de género y pégalo o cóselo a lo largo por los bordes. Luego pégalo en la parte superior del cono por todo el borde interior.

3 Mete la cabeza del títere con el palo en el interior del género y cono. Amarra el cuello del muñeco al cuerpo.

Sujeta tu títere del palo y muévelo para que su cara aparezca y desaparezca.

OSOS
DE CONO

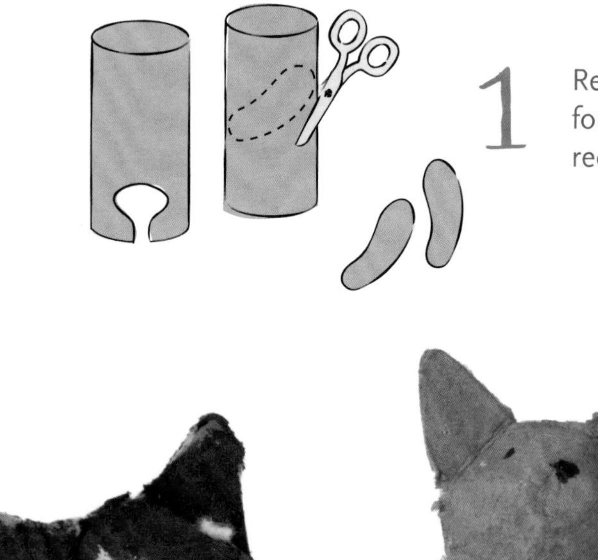

1 Recorta un cono de papel higiénico dándole forma a las patas y cuerpo. En otro cono recorta los brazos.

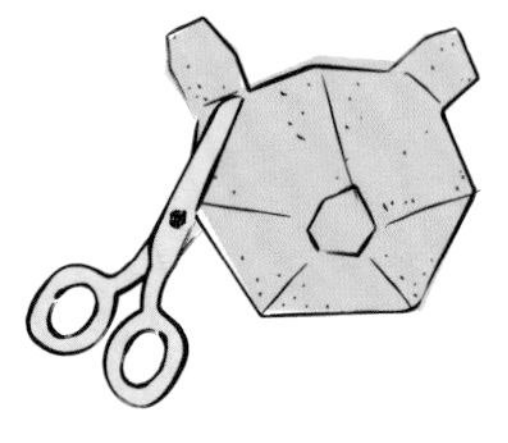

2 Recorta una cavidad de una caja de huevos y deja dos puntas para las orejas.

3 Pega la cabeza del títere y los brazos con cola fría. Pinta el cuerpo y la cara. Pega una cola de cartón o de algodón.

DINOSAURIO

DE CAJA DE HUEVOS

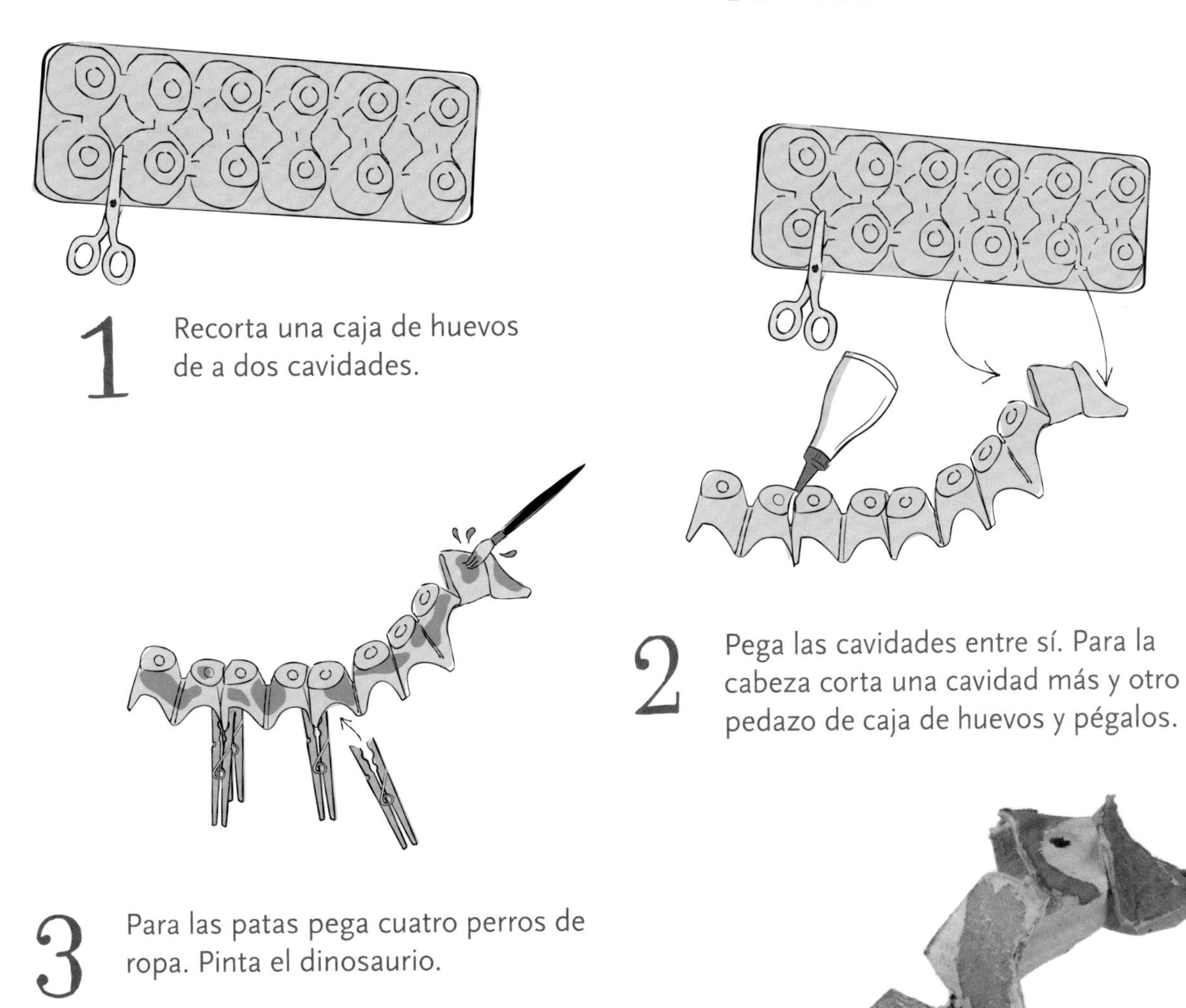

1 Recorta una caja de huevos de a dos cavidades.

2 Pega las cavidades entre sí. Para la cabeza corta una cavidad más y otro pedazo de caja de huevos y pégalos.

3 Para las patas pega cuatro perros de ropa. Pinta el dinosaurio.

ÍNDICE